Édition : Hachette Collections pour la présente édition.

ISBN collection : 2-84634-208-3
ISBN ouvrage : 2-84634-195-8

Imprimé et relié en France, par Pollina - L96331
Dépôt légal : Avril 2005

Design et documentation
Marshall Edition Development Limited

Le Monde Merveilleux de la Connaissance

LES OISEAUX

Comment utiliser ton encyclopédi

Avec Mickey, Minnie, Donald, Daisy, Dingo et Pluto, tu vas embarquer pour la grande aventure de la connaissance. En chemin, tu découvriras le secret des sciences, de la nature, du monde où nous vivons, du passé et bien plus encore. Attache bien ta ceinture, attention au départ !

Regarde à cet endroit pour trouver le résumé du sujet traité sur cette page.

Les légendes t'expliquent *ce qui se passe dans les images.*

En observant les images, *tu peux apprendre beaucoup, avant même d'avoir lu le texte.*

Les oreilles de Mickey *te font découvrir le sujet principal.*

Recherche les pages spéciales où Mickey examine de plus près les idées importantes.

Un monde en pleine tran

De grands changeme le monde à la période du 70 millions d'années avan Le territoire se divise pou nouveaux continents. De n de dinosaures herbivores a et les dinosaures carnivore également très nombreux.

LES ANIMAUX DU CRÉTACÉ
De gigantesques dinosaures cha parcouraient le territoire. Les oi volaient au-dessus d'eux en com de grands reptiles volants, tandi les ichtyosaures nageaient dans l

Le corythosaurus, un dinosaure herbi

À la découverte des dinosaures

Personne n'a jamais vu un dinosaure vivant, mais nous savons pourtant qu'ils ont existé grâce aux nombreux fossiles qui ont été retrouvés un peu partout dans le monde.

Les fossiles sont les restes des plantes et des animaux disparus depuis longtemps et préservés dans la pierre. Les fossiles de dinosaures les plus répandus sont les os et les dents, mais on a également retrouvé des empreintes d'excréments, d'œufs, de traces de pattes et de relief de peau. La plupart des fossiles sont découverts par des experts nommés paléontologues, des scientifiques qui étudient la vie préhistorique. Ils rassemblent les os et tous les restes afin d'apprendre le plus de choses possible sur les dinosaures.

Excréments de dinosaure fossilisés.

Empreintes de peau de dinosaure.

DES FOUILLES POUR RETROUVER DES OS
Les os de dinosaures fossiles doivent être extraits de la roche avec beaucoup de précaution, et avec des outils variés : des burins, par exemple, mais aussi des brosses souples. Quand on trouve des os très grands dans un bloc de pierre, il faut les envelopper dans de la toile et du plâtre pour les protéger pendant le transport.

Pour parvenir à exhumer des fossiles, les fouilles peuvent durer des semaines et les scientifiques installent le plus souvent un campement sur le site.

Chaque os est photographié avant d'être retiré de la roche.

Les os de grande taille, enveloppés dans du plâtre, doivent être manipulés avec beaucoup de précaution.

Les os enveloppés sont prêts à être chargés sur des camions.

Un expert en fossiles est en train de ciseler la roche au burin.

Des ouvriers enveloppent un os dans de la toile et du plâtre.

La position de chaque os est reportée sur une carte du site.

Des paléontologues en train d'extraire des restes de dinosaure.

DU DINOSAURE AU FOSSILE

1 Quand le dinosaure meurt, sa chair se putréfie et disparaît. Il ne reste plus que les os.

2 Les os sont peu à peu recouverts par des couches de boue et de sable.

3 En quelques millions d'années, la boue, le sable et les os se transforment en roche.

4 Les couches de roche sont usées par le vent et la pluie et les os fossilisés, très durs, finissent par apparaître.

RECONSTITUTION DU SQUELETTE
Dans un laboratoire ou un musée, les spécialistes finissent de détacher l'os de la pierre. Ils reconstituent autant que possible le squelette. Grâce aux marques laissées sur les os par les muscles, ils parviennent à s'approcher le plus possible de la réalité.

Préparation de la reconstitution du squelette.

Des enfants à la recherche de fos

TOI AUSSI TU PEUX TROUVER DES FOSSILES
Tout le monde peut découvrir des fossiles, bien qu'ils ne soient pas tous de dinosaures. Cherche sur la plage ou aux endroits où la roche est sédimentaire, comme le grès ou le schiste. Il te faut des outils simples : un marteau et un burin, par exemple. Demande à un adulte de t'aider à tailler la roche, tu pourrais découvrir de superbes fossiles à l'intérieur.

POUR EN SAVOIR PLUS
LA TERRE : les fossiles
L'HISTOIRE ANCIENNE : les fouilles archéologiques

Les pages numérotées de Mickey *t'aident à trouver ce que tu cherches. N'oublie pas qu'il existe aussi un glossaire et un index à la fin de chaque volume.*

Les chiffres *te guident pas à pas dans le déroulement d'un événement.*

Mickey t'indique quelles informations complémentaires tu dois rechercher dans les autres volumes de ton encyclopédie.

POUR EN SAVOIR PLUS
LA TERRE : les fossiles
L'HISTOIRE ANCIENNE : les fouilles archéologiques

C'EST INCROYABLE !
★ Les ailes déployées du
pteranodon mesuraient
environ 7 m d'un bout à
l'autre. C'est à peu près deux
fois plus large qu'une voiture
de taille moyenne.
Tes personnages préférés connaissent des détails incroyables qui étonneront tes amis.
UN MONDE EN PLEINE TRANSFORMATION
Le monde au crétacé
Terre
Mer peu profonde
Mer profonde
Le ptéranodon, un reptile volant.
L'ichtyosaurus, un reptile marin.
UN CLIMAT CHANGEANT
Au début de la période du crétacé, le climat était chaud en permanence, mais il y avait aussi, chaque année, des saisons humides et des saisons sèches.
C'EST INCROYABLE !
★ Les ailes déployées du ptéranodon mesuraient environ 7 m d'un bout à l'autre. C'est à peu près deux fois plus large qu'une voiture de taille moyenne.
L'ichtyornis, un oiseau.
PLANTES À FLEURS
Les plantes à fleurs sont probablement apparues près de l'équateur 120 millions d'années environ avant aujourd'hui. Les abeilles et d'autres insectes volants ont propagé leur pollen et bientôt des fleurs se sont mises à pousser partout. Les fougères et les cycas sont alors devenus beaucoup moins abondants.
Le tarbosaurus, un grand dinosaure chasseur.
Plantes à fleurs.
POUR EN SAVOIR PLUS
LES INSECTES ET LES ARAIGNÉES : les abeilles
LA VIE VÉGÉTALE : les plantes à fleurs
Les complices de Mickey font eux-mêmes quelques expériences.
fenêtre
couleur met
informations
ortantes
aleur.

Sommaire

INTRODUCTION

Les oiseaux

Partout dans le monde, c'est un bonheur de voir les oiseaux évoluer, de les entendre chanter. On en compte plus de 9 000 espèces, de l'échassier à l'oiseau chanteur, chacune ou presque ayant son mode de vie et ses caractéristiques propres.

Maîtres des airs, les oiseaux vivent aussi sur terre et dans l'eau. Il y en a de minuscules, comme le colibri, et de très grands, comme l'aigle ; certains sont incapables de voler, d'autres, chaque année, font le tour du monde à tire-d'aile. Ces créatures à plumes, ces merveilleux acrobates, comptent parmi les plus parfaites réussites de la nature.

Des oiseaux inaptes au vol

Tous les oiseaux de toutes les espèces ont des ailes, mais tous ne sont pas capables de voler. Les oiseaux inaptes au vol, comme l'autruche ou l'émeu, ont généralement de petites ailes et de longues pattes puissantes, et, s'ils ne volent pas, ils peuvent courir vite pour échapper à un danger. La plupart ont aussi un long cou, ce qui les aide à repérer un ennemi de loin. Le kiwi fait partie de ces oiseaux qui ne volent pas, mais il est beaucoup plus petit et il ne court pas vite : c'est pourquoi il se cache le jour et se nourrit la nuit.

AUTRUCHE DE COURSE

L'autruche est le plus grand oisea du monde. Elle atteint 2,70 m. Courant sur ses longues pattes à 70 km/h, c'est aussi le plus rapid des oiseaux terrestres. L'autruche vit en Afrique. Son œuf pèse environ 1,5 kg : record absolu parmi les oiseaux.

Plumes caudales.

Perchée *sur ses pattes puissantes, l'autruche court vite et longtemps.*

Autruches mâle dans la savane africaine.

Large patte munie *de doigts robustes.*

Émeu.

LE GÉANT D'AUSTRALIE

Avec ses 2 m de haut, l'émeu est le deuxième plus grand oiseau actuel. Il a de minuscules ailes et ses plumes grossières, molles et pendantes lui donnent un air dépenaillé. Les émeus courent vite et sur de longues distances à travers les régions désertiques d'Australie en quête d'herbe, de graines et d'insectes.

UN PARENT TRÈS OCCUPÉ

Le nandou mesure 1,30 m, ce qui fait de lui le plus grand oiseau d'Amérique du Sud. Le mâle s'accouple avec plusieurs femelles, s'occupe de tous les poussins nouveau-nés et leur apprend à trouver leur pitance.

Nandou mâle et ses petits.

De grands yeux pour voir loin.
Un long cou pour dominer les environs.
es ailes aux longues douces plumes. Les âles battent l'air de urs ailes empanachées ur séduire les femelles.
L'autruche doit ployer son long cou pour picorer des plantes, des insectes et même des reptiles mais elle se redresse régulièrement pour surveiller les environs.

C'EST INCROYABLE !

★ **Le plus petit oiseau du monde, l'oiseau-mouche Hélène, avec ses 5,7 cm, est plus petit que l'œil d'une autruche.**

Le casoar a un cou bleu.

UN OISEAU CASQUÉ

Le casoar vit dans les forêts tropicales de Nouvelle-Guinée et d'Australie. Il a de fortes pattes et sur la tête une crête osseuse appelée « casque ». Ce casque l'aide sans doute à se frayer un chemin dans les fourrés épineux.

BEC RENIFLEUR

Fait rare chez les oiseaux, le petit kiwi de Nouvelle-Zélande a des narines au bout de son long bec mince. Doué d'un bon odorat, il creuse le sol avec son bec pour trouver des vers et des insectes.

Kiwi.

POUR EN SAVOIR PLUS
L'ATLAS DU MONDE : l'Australie
LES REPTILES ET LES AMPHIBIENS : les reptiles

Le gibier à plumes

Un peu partout dans le monde, on chasse certains oiseaux pour le sport ou pour les manger. L'ensemble de ces oiseaux « chassables » est appelé gibier à plumes et regroupe plus de 260 espèces, parmi lesquelles le coq de bruyère, le paon à la queue scintillante, la dinde et le faisan. Ces oiseaux peuvent voler et perchent souvent la nuit dans les arbres. La plupart ont un corps trapu, un bec fort et court et des pattes puissantes pour gratter le sol à la recherche de baies et de graines.

LE CRI RAUQUE DU HOCCO

Le hocco des forêts d'Amérique du Sud se nourrit à terre, mais s'envole à l'abri des arbres au moindre danger. Le cri rauque du mâle porte loin et parvient aux femelles dans la profondeur de la forêt.

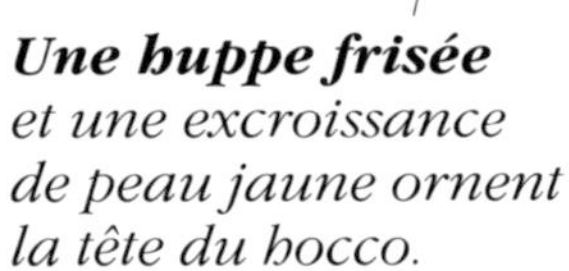

***Une huppe frisée** et une excroissance de peau jaune ornent la tête du hocco.*

Hocco mâle.

***Le hocco bâtit** son nid avec des feuilles et des brindilles ramassées au sol.*

UN ÉVENTAIL DE PLUMES

Le paon mâle a une queue somptueuse faite de longues plumes chatoyantes ornées de taches, ou ocelles, en forme d'yeux brillants. Pour parader devant la paonne, il relève sa traîne et la déploie en un éventail éblouissant (on dit qu'il fait la roue).

Paon mâle faisant la roue.

DANS LA CHALEUR DES FEUILLES

Le leipoa d'Australie nidifie de façon très spéciale. La femelle enterre ses œufs dans un monticule de sable et de feuilles édifié par le mâle. Quand les feuilles commencent à pourrir, la température monte au cœur du monticule et le mâle veille au maintien de cette température en enlevant ou en rajoutant du sable. Les oisillons à peine éclos ont du mal à s'extirper de ce nid singulier.

La base est maintenue *à température constante (33 °C).*
Il contrôle de son bec *la température intérieure.*
Ses ailes courtes *signifient que le bocco n'est pas un bon voilier.*
Plumes caudales *longues et larges.*

Leipoa mâle au pied du monticule.

C'EST INCROYABLE !

★ **C'est l'argus huppé qui a la plus longue queue de tous les oiseaux. Elle peut atteindre 1,73 m.**

Argus huppé.

L'ANCÊTRE DU COQ

L'ancêtre du coq de nos fermes, le coq sauvage, vit dans les forêts d'Asie du Sud-Est. Le mâle a un splendide plumage vert et orange. La poule, plus petite, a une modeste robe brunâtre.

Coq sauvage.

POUR EN SAVOIR PLUS
L'ATLAS DU MONDE : l'Asie du Sud-Est
LA VIE VÉGÉTALE : les graines

Les oiseaux terrestres

Les oiseaux comme les grues, les râles et les outardes volent très bien mais préfèrent rester à terre, où ils trouvent leur ration de graines, d'insectes et de petits animaux. Ils nichent au sol ou tout près. Certains râles et leur cousin le caurale (ou râle-soleil) fréquentent aussi les marais ou les rivages. La plupart de ces oiseaux sont hauts sur pattes et les grues, avec une taille moyenne de 1,50 m, comptent parmi les plus grands oiseaux capables de voler.

TOUS EN SCÈNE

Toutes les grues dansent à l'époque des amours. Exhibant les plumes de leurs ailes déployées, elles se font des courbettes et se tournent autour en enchaînant les pas, les figures et les bonds.

Ailes déployées *pour exhiber les plumes.*
Une aigrette *de plumes jaunes orne la tête de la grue couronnée.*
Les grues *forment des couples unis pour la vie.*

Parade nuptiale de la grue couronnée.

Râle d'eau se nourrissant de bestioles aquatiques.

RÂLE FAROUCHE

Le râle d'eau se cache parmi les roseaux à l'affût d'insectes et de grenouilles qu'il embroche de son long bec rouge. Bon nageur, il pêche aussi des poissons et des petites bêtes aquatiques. Son nid soigné en forme de coupe est généralement construit à même le sol, au milieu des joncs.

C'EST INCROYABLE !

★ **La grande outarde mâle est l'un des plus gros oiseaux qui volent. Elle peut peser 18 kg et mesurer 1 m.**

UN VOLATILE FACILE

Insectes et autres petites bestioles, graines et feuilles : les grues au bec puissant mangent un peu de tout. Elles déambulent souvent dans les eaux peu profondes en quête de nourriture, mais leurs pattes ne sont pas palmées.

Râle-soleil exhibant son plumage éclatant.

Oiseau-trompette.

MANŒUVRE D'INTIMIDATION

Le caurale, ou râle-soleil, se tient caché à l'ombre de la végétation où il trouve sa pitance. Mais à la moindre alerte il déploie brusquement ses ailes, révélant les couleurs vives de son plumage pour effrayer l'intrus.

SONNEZ TROMPETTES

Les oiseaux-trompettes se nourrissent en groupe sur le sol des forêts. Leurs ailes sont faibles et ils volent rarement. Ils émettent des cris rauques retentissants.

POUR EN SAVOIR PLUS
L'ATLAS DU MONDE : l'Amérique du Sud
LA VIE VÉGÉTALE : les joncs

Les plumes et le vol

Tous les oiseaux ont des plumes – et seuls les oiseaux en ont. Les plumes sont légères et résistantes, et de différentes sortes, chacune ayant sa fonction propre. Certaines contribuent au vol et au maintien de l'équilibre en l'air ; d'autres tiennent chaud ; d'autres encore sont décoratives.

L'oiseau est capable de voler grâce aux grandes plumes rigides de ses ailes et de sa queue. L'aile est munie de plumes appelées rémiges primaires et secondaires. Les rémiges primaires assurent la propulsion de l'oiseau, les secondaires assurent la poussée en vol. De forts muscles pectoraux actionnent les ailes dont le battement vers le bas et l'arrière propulse l'oiseau vers le haut et l'avant.

LA FORME DES AILES ET LE VOL

Les rapaces, comme l'aigle, ont de larges ailes avec des fentes à l'extrémité des rémiges primaires : c'est ce qui leur permet de s'élever sur les courants ascendants tandis qu'ils guettent des proies. Les oiseaux de mer, comme l'albatros, ont de longues ailes étroites pour voler au long cours. Les petits oiseaux au vol rapide, comme le martinet, ont des ailes étroites en flèche.

L'albatros *peut franchir 500 km en une seule journée.*

Albatros.

Avec ses longues ailes *fuselées, l'oiseau peut se laisser transporter longtemps par le vent sans faire un mouvement.*

Aile d'oiseau.

Grandes rémiges *primaires.*

Rémiges *secondaires, plus petites.*

Pipit de Richard.

EN VOL

1 En vol normal, le battement des ailes vers le bas produit l'énergie nécessaire au déplacement de l'oiseau.

Ailes fines
en flèche.
Le martinet acrobate
virevolte à toute vitesse dans le ciel.
Martinet.
Rémige.
Plume.
Différents types de plumes.
Plumule
du duvet.
Les fentes au bout
des rémiges permettent au rapace de glisser sur l'air.
Ses grandes
et larges ailes font de l'aigle un puissant voilier.
Aigle.

DES TYPES DE PLUMES

Sous les plumes, les soyeuses plumules qui forment le duvet tiennent l'oiseau au chaud. Les rémiges, les plumes les plus grandes et les plus rigides, forment la surface portante de l'aile. De nombreux oiseaux ont aussi des plumes décoratives, aux formes remarquables, qui ont sans doute pour fonction d'attirer les femelles.

2 **Pendant le battement** vers le bas, les plumes des ailes s'écartent pour augmenter la surface de poussée contre l'air.

3 **Quand les ailes** commencent à se relever, les plumes se rapprochent pour réduire la résistance de l'air.

4 **Les ailes sont** à leur apogée, prêtes au prochain battement vers le bas.

POUR EN SAVOIR PLUS
LE CORPS HUMAIN : les muscles
LES MACHINES : l'ascenseur

Les oiseaux de rivage

L'avocette, le bécasseau ou l'huîtrier sont des oiseaux aquatiques : ils fréquentent les rivages, le delta des fleuves et le bord des lacs. Leur bec spécialisé leur permet de fouiller la vase à la recherche de petites bêtes ou de cueillir des coquillages sur les rochers du littoral. Beaucoup ont de longues pattes pour marcher sur les fonds vaseux, où ils se nourrissent.

Des journées entières dans la vase

Le bécasseau variable est un peti oiseau très affairé. Il prospecte le rivages et les eaux peu profonde, fouillant inlassablement la vase à la recherche de vers, d'escargots, de crustacés, etc. Les bécasseaux peuvent former des colonies nombreuses là où la nourriture abonde.

Bécasseau variable parcourant la plage en quête de nourriture.

Huîtrier prospectant le rivage.

Un amateur de coquillages

L'huîtrier se sert de son long bec au bout aplati pour détacher des rochers huîtres et autres mollusques et forcer leurs coquilles. Il s'aventure aussi loin du rivage, dans les champs cultivés, à la recherche de vers et d'insectes.

UN BEC À LA RETROUSSE

Perchée sur ses longues pattes, parée d'un élégant plumage noir et blanc, l'avocette a un bec très curieux, effilé et retroussé au bout. Elle le promène à droite et à gauche dans l'eau ou la vase dans l'espoir de pêcher des vers et des crevettes.

Mouettes affamées sur la plage.

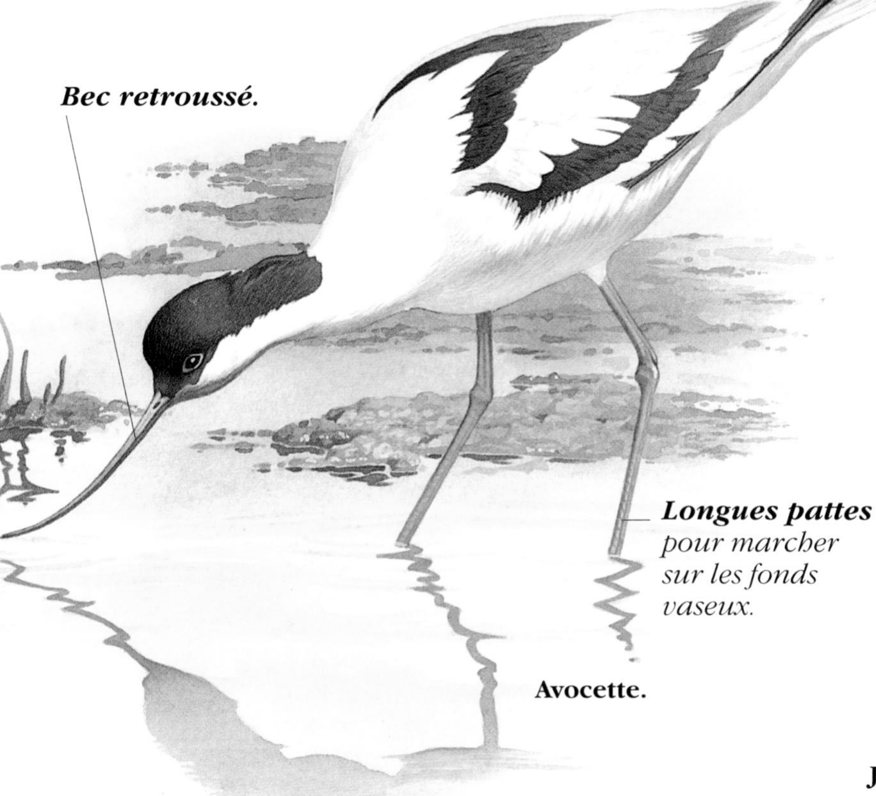

Avocette.

DES BANDES TAPAGEUSES

Les mouettes sont de grands oiseaux robustes aux longues ailes et aux pattes palmées. Rassemblées en troupes bruyantes au bord du rivage, là où se brisent les vagues, elles chassent des petites proies. Elles dérobent aussi des œufs dans les nids d'autres oiseaux et font des incursions à l'intérieur des terres dans les champs et les dépôts d'ordures.

Jacana.

C'EST INCROYABLE !

★ **Les mouettes ramassent des coquillages et les laissent tomber de haut pour fracasser leurs coquilles afin de les déguster.**

★ **Le pluvier doré, un oiseau de rivage, parcourt 13 200 km au cours de sa migration de l'extrême Amérique du Nord en Amérique du Sud pour profiter de l'été austral.**

JACANA AUX LONGS DOIGTS

Les doigts du jacana peuvent mesurer 8 cm. Son poids réparti sur une grande surface grâce à ces doigts démesurés, le jacana peut marcher à la surface de l'eau sur des végétaux flottants, comme les nénuphars, en cherchant escargots, plantes et autres nourritures.

POUR EN SAVOIR PLUS
LES ANIMAUX MARINS : les mollusques
LA VIE VÉGÉTALE : les nénuphars

Les oiseaux d'eau douce

Les lacs d'eau douce, les étangs et les rivières attirent une immense variété d'oiseaux. La nourriture y abonde et les berges offrent des sites pour nicher et se cacher. Certains de ces oiseaux, tels le flamant ou le héron, ont de longues pattes et de longs cous, ainsi que des becs spécialisés, pour attraper leur nourriture tout en marchant dans l'eau. D'autres, comme les canards, les oies ou les cygnes, ont des pattes palmées pour se propulser dans l'eau.

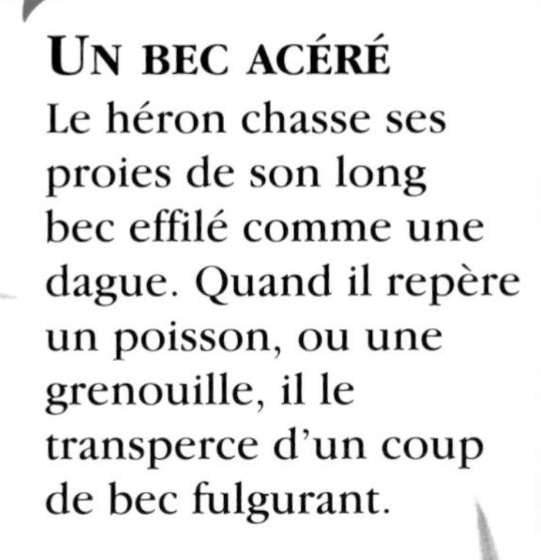

Un bec acéré

Le héron chasse ses proies de son long bec effilé comme une dague. Quand il repère un poisson, ou une grenouille, il le transperce d'un coup de bec fulgurant.

Longues pattes, *ou échasses.*

Héron gris.

Nid de cigogne sur le faîte d'un toit.

Bons nageurs, mauvais marcheurs

Les cygnes au long cou ont des livrées toutes blanches ou blanches et noires. Ils peuvent mesurer 1,50 m et sont d'excellents nageurs et de bons voiliers. Mais, à terre, ils se dandinent maladroitement sur leurs pattes courtes.

Les cygnes se nourrissent *principalement de plantes aquatiques.*

Cygne de la toundra.

En haut des cheminées

Les cigognes sont de grands oiseaux (jusqu'à 1 m) qui volent le cou et les pattes tendus. Elles nichent le plus souvent en groupe, sur la cime des arbres ou sur les cheminées des maisons. Leurs nids sont faits de branchages et de brindilles.

C'EST INCROYABLE !

★ Le cygne siffleur est revêtu de 25 216 plumes : le record parmi les oiseaux dont on a eu l'idée de compter les plumes.

★ Le marabout a la plus grande envergure de tous les oiseaux terrestres : 3,2 m d'un bout d'une aile à l'autre.

Canard mandarin mâle.

Le flamant se nourrit *le bec à l'envers.*

UN BEC À LAMELLES

Le flamant est un grand oiseau aquatique (jusqu'à 1,50 m). Son bec, très particulier, est bordé de lamelles. Pour se nourrir, le flamant aspire et refoule l'eau par les côtés de son bec tandis que les lamelles retiennent les petits animaux et végétaux.

VOILES DE MARIÉE

Le canard mandarin à la robe chamarrée se nourrit à la surface de l'eau. Les plumes de ses flancs sont dressées comme des voiles pour attirer les femelles. Ces canards, originaires d'Asie, se sont acclimatés aux lacs et aux étangs du monde entier.

Les pattes longilignes *permettent au flamant de pêcher plus profond que les autres échassiers.*

Sa couleur rose *est due aux crevettes dont il se nourrit.*

Le bec à lamelles *filtre l'eau et retient les aliments.*

Flamants roses.

POUR EN SAVOIR PLUS
LA TERRE : les rivières
LES REPTILES ET LES AMPHIBIENS : les grenouilles

Les oiseaux marins

L'albatros et le fou font partie des nombreux oiseaux qui dépendent de la mer pour se nourrir. Comme la plupart des oiseaux marins, ce sont d'excellents voiliers, capables de planer au large des heures durant à l'affût de poissons. Certains d'entre eux ne se posent à terre que pour couver leurs œufs et élever leurs petits. La plupart des oiseaux marins sont de bons nageurs et certains plongent sous l'eau pour chasser.

HOLD-UP EN PLEIN CIEL

Les frégates sont de grands oiseaux au bec crochu dont les plumes perméables leur interdisent de plonger. Elles attrapent leurs proies à la surface de l'eau ou les volent à d'autres oiseaux en les harcelant jusqu'à ce qu'ils ouvrent le bec et laissent tomber leur prise.

Frégate.

Avec sa queue *fourchue et ses ailes étroites, la frégate évolue avec aisance dans les airs.*

Plumage *noir brillant.*

Le cormoran déploie ses ailes pour les faire sécher.

PLONGEUR MOUILLÉ

Le cormoran plonge sous l'eau pour attraper des poissons. Il remonte sa prise à la surface avant de l'avaler. Ses plumes n'étant pas complètement imperméables, il doit souvent se poser sur un rocher après un plongeon pour faire sécher ses ailes.

L'albatros a les ailes les plus longues de tous les oiseaux : déployées, elles mesurent 3,50 m d'un bout à l'autre.

TOUTE UNE VIE EN L'AIR

L'albatros hurleur passe l'essentiel de sa vie dans les airs et ne se pose sur la mer que le temps d'attraper un poisson ou un calmar à la surface. Mais il séjourne sur des îles près de l'Antarctique pour pondre et élever ses petits.

Manchot empereur réchauffant son petit.

LES MANCHOTS DE L'ANTARCTIQUE

Les manchots, incapables de voler, sont des nageurs et des plongeurs émérites. Ils vivent dans l'hémisphère Sud. Les manchots de l'Antarctique ont, sous leurs plumes, une épaisse couche de graisse qui les isole de l'eau glacée.

Bec crochu.

Sterne.

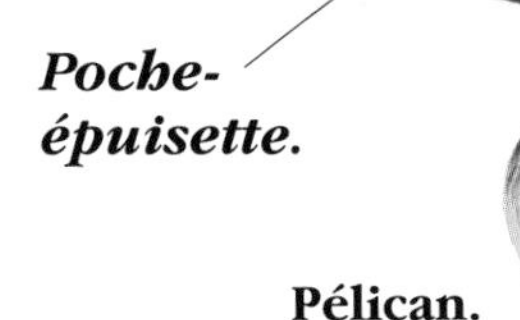

Poche-épuisette.

Pélican.

Les frégates pourchassent *d'autres oiseaux jusqu'à ce qu'ils lâchent leur proie.*

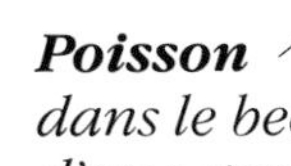

Poisson *dans le bec d'une sterne.*

LA PÊCHE À L'ÉPUISETTE

Le long bec du pélican est équipé d'une vaste poche membraneuse qui lui sert d'épuisette. Les pélicans pêchent à plusieurs : ils rassemblent les poissons en un groupe compact, puis chacun remplit son épuisette.

Colonie de fous au bord d'une falaise.

C'EST INCROYABLE !

★ Les fous se rassemblent en colonies de plus de 200 000 individus pour nicher sur les rochers. Chaque couple doit défendre son petit bout de falaise, mais ce pullulement semble favorable à la reproduction.

POUR EN SAVOIR PLUS
LES ANIMAUX MARINS : les calmars
L'ATLAS DU MONDE : l'Antarctique

La saison des amours

Quand vient la saison de la reproduction, les oiseaux doivent s'apparier. Trouver des partenaires n'est pas toujours facile et les mâles déploient toutes sortes de techniques pour attirer l'attention des femelles.

Pour conquérir une femelle, certains oiseaux, les grives par exemple, se contentent de lancer leur chant mélodieux perchés sur un buisson. D'autres, comme le macareux ou l'oiseau de paradis, face aux femelles plus ternes, mettent en valeur leur bec bariolé et leur plumage chatoyant. Certains mâles exécutent des parades collectives : ils sautillent et piétinent en rythme en poussant des cris devant l'assemblée des femelles. Les cygnes et les manchots, entre autres, forment des couples unis pour la vie. D'autres oiseaux changent de partenaire chaque année.

La femelle *a une livrée plus terne.*

Paradisier de Raggi.

Parure de noce

Les paradisiers mâles arborent de magnifiques parures de noce. Le paradisier de Raggi, par exemple, qui vit dans les forêts de Nouvelle-Guinée, relève ses ailes jusqu'à ce qu'elles se touchent au-dessus de son dos pour laisser voir les superbes plumes rouges de ses flancs. Tout cela en poussant des cris perçants.

Parade nuptiale du tétras-lyre.

La queue *est prolongée par deux longues plumes plus épaisses.*

Parade collective

Des groupes de tétras-lyres se rassemblent sur des lieux de parade pour faire admirer leur plumage aux femelles intéressées. Queue déployée en éventail, ils gonflent les caroncules rouges qui ornent leurs yeux et se pavanent en cadence.

À l'époque des amours, le bec du macareux s'orne de pièces cornées aux couleurs éclatantes.

Les ailes se touchent au-dessus du dos.
Le mâle a de splendides plumes de parade.

Couple de grèbes huppés.

LA DANSE DES GRÈBES

Chez les grèbes huppés, mâle et femelle exécutent ensemble une série de mouvements synchronisés comme une danse avant de se construire un nid. Tout en dansant, ils s'échangent des brins d'algue.

Guêpier mâle.

UN PRÉSENT DE BON GOÛT

À la femelle qu'il courtise, le guêpier mâle fait présent d'une guêpe ou d'une abeille qu'il vient d'attraper. La femelle, ainsi mise en confiance, se laisse approcher.

POUR EN SAVOIR PLUS
LES INSECTES ET LES ARAIGNÉES : les abeilles
LA VIE VÉGÉTALE : les plantes d'eau

Les rapaces

Les rapaces, ou oiseaux de proie, sont des chasseurs à la vue perçante et de puissants voiliers. Ils s'élèvent très haut dans les airs pour guetter une proie. Les longues serres puissantes de leurs pattes sont faites pour saisir et tuer les proies ; leur bec fort et crochu est fait pour les déchiqueter. Les vautours sont des rapaces un peu différents : en général, ils ne tuent pas leurs proies mais se nourrissent des animaux morts ou abandonnés par d'autres prédateurs.

VOL « SUR PLACE »

Le faucon crécerelle pratique le « vol sur place » pour repérer ses proies. Le battement de ses ailes es assez rapide pour le maintenir en stationnement dans les airs. Quand la crécerelle a repéré une proie, un mulot par exemple, elle fond dessu et l'emporte dans ses serres.

Les ailes battent *très rapidement.*

Pour le vol *sur place, la queue s'ouvre en éventail.*

Crécerelle.

Larges ailes *pour se laisser porter par les courants.*

Aigle royal.

Condor roi.

DÉTECTEURS DE CADAVRES

Le condor roi est chauve mais la peau de son crâne est vivement colorée. Contrairement à la plupart des oiseaux, il a un très bon odorat qui lui permet de détecter les charognes (les cadavres d'animaux) enfouies dans la végétation.

DE HAUT VOL

Superbe voilier, l'aigle royal glisse pendant des heures haut dans le ciel à l'affût d'une proie. Les petits mammifères comme les lièvres ou les lapins constituent son menu favori, mais il chasse aussi des petits oiseaux. L'aigle tue sa proie en l'écrasant dans l'étau de ses serres.

C'EST INCROYABLE !

★ **Le plus grand des nids est l'œuvre du pygargue à tête blanche : 2,50 m de large et 6 m de profondeur.**

★ **Le plus gros aigle du monde est la harpie d'Amérique du Sud. Elle pèse environ 10 kg et se nourrit surtout de singes et de porcs-épics.**

Le faucon pèlerin, un as de la chasse aérienne.

CHASSEUR RAPIDE

Le faucon pèlerin est l'un des oiseaux les plus rapides. Il chasse au vol, fondant comme un éclair sur sa proie, souvent un pigeon ou une colombe, qu'il frappe de ses pattes. Sa vitesse de piqué peut dépasser 180 km/h.

Bec crochu.

Pattes aux serres *puissantes.*

Chouette hulotte fondant sur une proie.

VOL DE NUIT

Comme beaucoup d'autres chouettes, la hulotte est un rapace nocturne : elle chasse la nuit. Son ouïe incroyablement fine et ses grands yeux l'aident à repérer mulots et petits oiseaux dans l'obscurité.

POUR EN SAVOIR PLUS
LES MAMMIFÈRES : les porcs-épics
LES SCIENCES QUI NOUS ENTOURENT : la vision nocturne

Pigeons, coucous et perroquets

Pigeons, coucous et perroquets appartiennent à trois familles d'oiseaux très différentes, mais ils ont en commun d'habiter dans les arbres. Ils perchent et nichent sur les branches et trouvent là l'essentiel de leur nourriture : graines, noix et fruits. Les coucous complètent ce menu avec les insectes qu'ils récoltent sur les feuillages et les troncs. La plupart des perroquets vivent dans l'hémisphère Sud. Les pigeons et les coucous sont répandus dans le monde entier.

Perroquets bavards

Les grands eclectus, amateurs de fruits et de noix, font du tapage dans les arbres. Ces perroquets saluent le soir par des ballets aériens avant de se percher pour la nuit en troupes nombreuses – parfois quatre-vingts individus.

La femelle *est écarlate, avec un ventre bleu.*

Bec crochu, puissant, *pour agripper les branches et casser les noix.*

L'oiseau tient *la noix entre ses serres et l'ouvre avec son bec.*

Ara macao.

Fort en pattes et en bec

L'ara macao, comme tous les perroquets, a des pattes aux doigts forts qui lui permettent de tenir sa nourriture et de se cramponner aux branches. Son bec court et crochu, extrêmement fort, vient à bout des coquilles de noix les plus dures.

C'est incroyable !

★ Le coucou terrestre peut voler mais préfère courir : on l'appelle d'ailleurs coucou coureur, ou coureur de routes. Il se déplace au sol à 20 km/h.

★ Le plus gros de tous les perroquets est le kakapo de Nouvelle-Zélande. Cet oiseau rare ne vole pas mais peut grimper aux arbres. Il n'en reste plus qu'une soixantaine.

Pigeon à pattes jaunes mangeant une baie.

PIGEONS ALLAITANT

Hôtes des arbres, les pigeons se nourrissent de baies et de fruits et picorent les miettes laissées par l'homme. Fait unique chez les oiseaux, les pigeons, mâle et femelle, sécrètent dans leur jabot un liquide crémeux, appelé lait de pigeon, qu'ils font ingurgiter à leur petit pendant les quelques jours qui suivent l'éclosion.

Grands eclectus dans un arbre.

Parent adoptif et son petit coucou affamé.

UNE GRANDE BOUCHE À NOURRIR

Certaines espèces de coucous pondent leur œuf dans le nid d'autres oiseaux. Quand l'œuf éclot, le parent adoptif s'épuise à nourrir un poussin insatiable qui peut très rapidement le dépasser en taille.

Le plumage du mâle *est d'un vert éclatant, taché de rouge et de bleu.*

POUR EN SAVOIR PLUS
LES MAMMIFÈRES : le lait
LA VIE VÉGÉTALE : les fruits

Le calao et ses cousins

Calaos, rolliers, momots, martins-pêcheurs ne se ressemblent pas et pourtant ils appartiennent tous à la même famille. La plupart de ces oiseaux vivent et nichent dans les arbres, et ont des couleurs éclatantes ou bien de spectaculaires livrées noires et blanches. Ils se nourrissent principalement d'insectes, de grenouilles, de lézards, mais le calao et le momot apprécient aussi les fruits et certains martins-pêcheurs mangent du poisson. Le quetzal est d'une autre famille mais, tout comme le calao, il fait son nid dans la cavité d'un arbre et se nourrit d'insectes et de fruits.

EMMURÉE VOLONTAIRE
La femelle calao choisit une cavité dans un arbre pour déposer ses œufs. Le mâle l'aide à s'emmurer avec de la boue et la nourrit par une fente percée dans cette cloison. La femelle couve tranquillement ses œufs et ne sort de son abri que lorsqu'ils ont éclos.

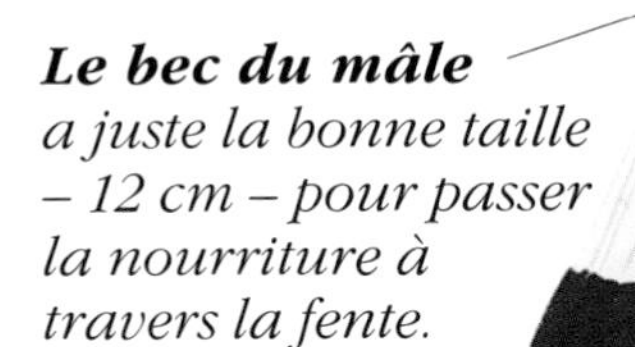

Le bec du mâle *a juste la bonne taille – 12 cm – pour passer la nourriture à travers la fente.*

Calaos bicornes.

Momot.

BALANÇANT DE LA QUEUE
Le momot coloré a de longues plumes caudales dont les bouts forment des cuillers. Perché sur une branche, il balance sa queue tout en guettant des insectes ou des lézards.

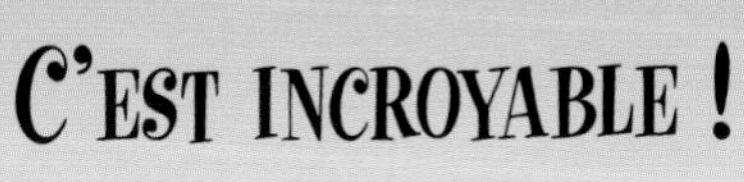

C'EST INCROYABLE !

★ **On a compté 24 000 fruits apportés par un mâle calao à sa femelle recluse pendant la couvaison.**

SITÔT VU, SITÔT PRIS
Perché sur une branche basse, le rollier fait le guet et plonge pour attraper au vol ou sur le sol insectes et petits vertébrés.

Rollier.

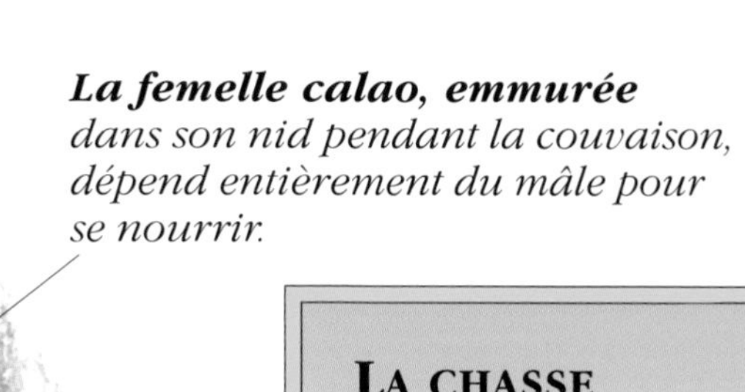

La femelle calao, emmurée *dans son nid pendant la couvaison, dépend entièrement du mâle pour se nourrir.*

LA CHASSE AU BORD DE L'EAU

Du haut de son perchoir au bord d'une rivière, le martin-pêcheur repère une proie (poisson, larve...) et la saisit en plongée de son long bec. Beaucoup de martins-pêcheurs chassent aussi à terre des insectes et des lézards.

Martin-pêcheur attrapant un poisson en plongée.

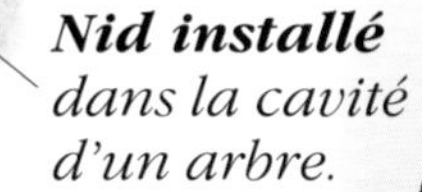

Nid installé *dans la cavité d'un arbre.*

Quetzal mâle.

rès la période *s amours, le mâle rd les plumes sa queue, mais es repoussent us les ans.*

UNE QUEUE CHAMARRÉE

D'un vert mordoré, les plumes de la queue du quetzal peuvent mesurer 1 m de long. Il les agite lors des parades nuptiales pour impressionner les femelles.

POUR EN SAVOIR PLUS
LES MAMMIFÈRES : les terriers
LES REPTILES ET LES AMPHIBIENS : les lézards

La construction du nid

Les oiseaux construisent des nids pour pondre leurs œufs. Les nids protègent les œufs du froid et des prédateurs jusqu'à l'éclosion des petits. La façon dont un oiseau construit son nid dépend de l'endroit où il vit.

Les oiseaux des forêts bâtissent des nids de feuilles et de brindilles très haut dans les arbres ou bien dans la végétation au ras du sol. D'autres tissent des nids suspendus aux branches. Le pivert, ou pic-vert, creuse son nid dans un tronc d'arbre. Les oiseaux marins, comme le guillemot, pondent leurs œufs sur une corniche, difficile d'accès pour les prédateurs. Quelques espèces creusent leurs nids dans le sol. Certains oiseaux, enfin, utilisent les nichoirs que leur construisent les hommes.

Les petits oiseaux comme les mésanges élisent volontiers domicile dans les nichoirs fabriqués à leur intention.

Une petite ouverture *sur le côté du nid permet à l'oiseau d'entrer et de sortir.*

Mésange penduline et son nid.

Parent donnant *la becquée aux petits.*

Nid tissé

La petite mésange penduline, ou rémiz, se tisse un nid en fibres végétales ou animales, de la laine de mouton par exemple. Suspendu à un rameau, le nid a la forme d'un petit sac avec une ouverture sur le côté. Les œufs puis les oisillons y sont bien à l'abri.

Le nid est fait *de fibres végétales et animales tissées en un feutre épais.*

Nid souterrain

La chouette des terriers d'Amérique du Nord pond ses œufs dans un trou qu'elle creuse dans le sol de son bec et de ses pattes puissants. Parfois aussi, elle utilise le terrier abandonné par un chien de prairie, par exemple.

Chouettes des terriers.

Nid collé

Le martinet installe son nid sur une falaise, la paroi d'une grotte, ou même le mur d'un bâtiment. Pour le faire, il emploie divers matériaux – feuilles, tiges, plumes – collés avec sa salive qui durcit à l'air.

Nids de martinets dans une grotte.

Guillemots nichés sur une corniche.

Nid-à-pic

Le guillemot pond son œuf unique sur une corniche rocheuse au-dessus de la mer. Pointu à un bout, l'œuf tourne en rond comme une toupie s'il est effleuré, mais ne peut pas rouler et tomber de sa corniche.

Nid flottant

Le nid du foulque flotte à la surface de l'eau, amarré à des roseaux ou d'autres plantes aquatiques. C'est la femelle qui fabrique le nid avec les matériaux – feuilles mortes, tiges, brindilles – apportés par le mâle.

Foulques sur leur nid flottant.

POUR EN SAVOIR PLUS
LA TERRE : les grottes
LE CORPS HUMAIN : la salive

Oiseaux des bois et des forêts

Les toucans vivent dans les arbres et font leur nid au creux d'un tronc. La plupart ont des pattes aux doigts puissants pour s'accrocher aux branches et un bec robuste. Leurs ailes courtes et arrondies permettent esquives et embardées quand ils volettent parmi les arbres. Si les jacamars et les indicateurs se nourrissent principalement d'insectes, la plupart des oiseaux de ce groupe mangent aussi des fruits.

Les motifs colorés *du bec sont peut-être un signe de reconnaissance parmi les toucans de la même espèce.*

Le mâle et la femelle *ont le même plumage.*

LE TOUCAN AU LONG BEC

Le long bec coloré du toucan lui permet de cueillir des fruits même sur les branches trop frêles pour supporter son poids. Il saisit le fruit du bout du bec et se l'envoie au fond de la gorge.

Toucan toc

Jacamar voletant.

À TABLE !

Petit oiseau au plumage chatoyant, le jacamar tombe brusquement de son perchoir pour happer un insecte volant, papillon ou libellule, du bout de son long bec pointu. Puis il regagne son perchoir pour savourer sa prise.

Griffes
puissantes.
Les ailes courtes
sont le signe que le
toucan ne vole pas
très bien.

Barbu à bec denté.

Un barbu dans les arbres

Le petit barbu dodu a une grosse tête et un bec trapu bordé de vibrisses. Il vole mal et passe l'essentiel de sa vie dans les arbres : c'est un très bon grimpeur grâce à la force de ses pattes et de ses griffes.

Le pivert est équipé de griffes acérées pour grimper le long des troncs.

C'est incroyable !

★ **Les piverts communiquent entre eux en tambourinant du bec sur les troncs d'arbres.**

★ **Rayons de miel, cire et larves d'abeille, l'indicateur avale tout et digère sans problème.**

Toc, toc, toc

Accroché au tronc d'un arbre, le pivert frappe l'écorce de son bec pointu en prenant appui sur les plumes rigides de sa queue. Quand il a percé un trou, il ramasse de sa longue langue les insectes et les petites araignées sous l'écorce.

Indicateur intéressé

L'indicateur raffole des larves d'abeille mais, seul, il ne peut fracturer un nid d'abeilles. Alors il attire par ses cris l'attention d'un autre amateur de miel – homme ou blaireau à miel –, lui indique le nid et attend qu'il le détruise pour se servir.

L'indicateur et le blaireau à miel.

POUR EN SAVOIR PLUS
LES INSECTES ET LES ARAIGNÉES : les papillons
LA TERRE : les forêts

Le ravitaillement en vol

Bon nombre d'oiseaux attrapent leur nourriture au vol, mais se posent pour l'avaler. Les martinets, les colibris et les engoulevents, eux, chassent et mangent en vol. En fait, les martinets font presque tout en l'air, excepté pondre et élever leurs petits. Pour se nourrir, ils volent la bouche ouverte et happent les insectes au passage. Tout aussi à l'aise dans les airs, le colibri se nourrit en volant sur place : le battement frénétique de ses ailes lui permet de stationner en l'air, pendant qu'il aspire le nectar des fleurs.

DES PROUESSES SANS PAUSE

L'incroyable martinet fuse dans le ciel comme une flèche en folie et enchaîne les acrobaties sans jama se poser ou presque. Il réussit mê à dormir en volant. La forme et la faiblesse de ses pattes l'empêcher de se percher et le rendent maladroit au sol.

Les plumes longues *à l'extérieur et courtes à l'intérieur donnent à l'aile sa forme incurvée.*

Martinet eurasien.

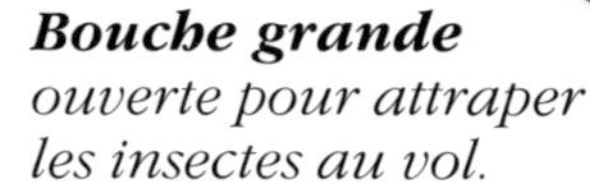

Bouche grande *ouverte pour attraper les insectes au vol.*

Engoulevent.

VOL EN RASE-MOTTES

L'engoulevent vole au ras du sol, bouche ouverte pour attraper des insectes nocturnes comme les mites, retenus par les vibrisses de son bec. Le jour, il reste tapi au sol, parfois dans les arbres, où sa couleur brunâtre l'aide à se dissimuler.

C'EST INCROYABLE !

★ Une fois hors du nid, le jeune martinet peut ne plus toucher terre avant deux ans, quand il est en âge de se reproduire. Il aura alors accumulé 500 000 km de vol sans jamais s'arrêter.

Guacharo dans une caverne.

OISEAU DES CAVERNES
Le guacharo, proche de l'engoulevent, séjourne dans les cavernes. Il sort la nuit pour cueillir les fruits huileux des palmiers, qu'il stocke dans son estomac et digère le lendemain.

Bec *incurvé.*
Colibri bec-en-faucille.

SUR PLACE ET À RECULONS
Les colibris peuvent voler sur place, à reculons et latéralement, comme les insectes. La forme de leur bec est adaptée à celle des fleurs qu'ils butinent : ainsi, le colibri bec-en-faucille est idéalement équipé pour aspirer le nectar des fleurs en clochettes et le colibri porte-épée pour butiner les fleurs en trompettes.

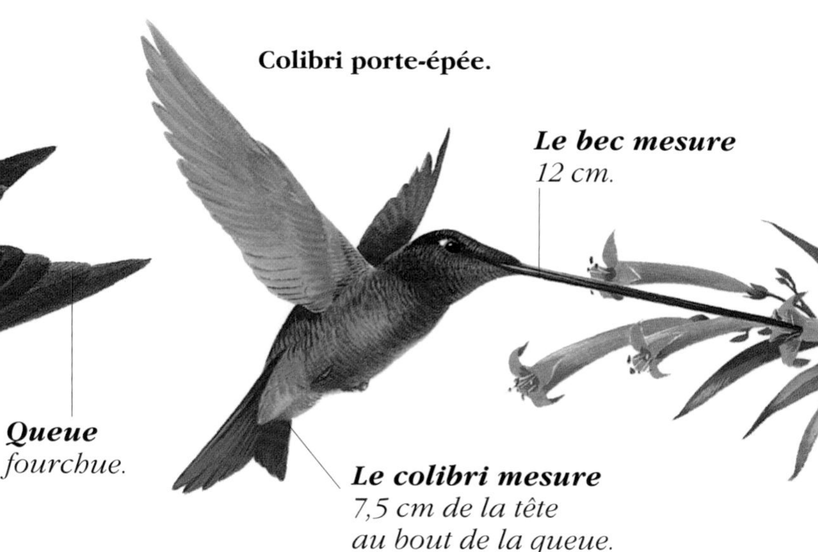
Le bec mesure *12 cm.*
Queue *fourchue.*
Le colibri mesure *7,5 cm de la tête au bout de la queue.*
Le martinet zèbre *le ciel de ses longues ailes étroites.*
Colibri porte-épée.

Podarge.

COULEUR D'ÉCORCE
Proche parent de l'engoulevent, le podarge passe la journée perché sur une branche où ses plumes gris-beige se confondent avec l'écorce. Il se nourrit d'insectes et de petits rongeurs qu'il chasse la nuit.

POUR EN SAVOIR PLUS
LES INSECTES ET LES ARAIGNÉES : les mites
LA VIE VÉGÉTALE : le nectar

La famille des eurylaimes

L'eurylaime est le chef de cette famille et lui donne son nom qui signifie en grec « large gosier ». Les eurylaimes et leurs cousins, brèves ou fourmiliers, habitent pour la plupart les régions chaudes de l'hémisphère Sud. Ils se nourrissent d'insectes et autres bestioles qu'ils trouvent au sol. Le gobe-mouches tyran écarlate est lui aussi insectivore, mais chasse en vol. Les deux vedettes de ce groupe sont le coq de roche et l'oiseau-lyre, dont les mâles ont d'extraordinaires plumes de parade.

La danse des rubans

En vol, les longues plumes gracieuses de la queue du tyran écarlate s'ouvrent et se ferment comme des ciseaux. Pour la parade nuptiale, le mâle fait des culbutes et des cabrioles soulignées par ses plumes qui se déroulent en rubans.

Tyran écarlate.

Bec *largement fendu pour capturer les insectes en vol.*

En arrière-garde des fourmis

Le petit fourmilier suit des cohortes de fourmis légionnaires dans la jungle. Ce ne sont pas les fourmis qui l'intéressent, mais tous les petits insectes qui, à l'approche de la troupe redoutable, s'enfuient… tout droit dans son bec.

Fourmilier à huppe blanche.

UN NID AU BORD DE L'EAU

L'eurylaime vit dans les bois et les forêts. Son nid ovale, fait de fibres végétales, est suspendu à une branche basse au-dessus ou tout près d'un ruisseau.

Eurylaime et son nid suspendu.

Les plumes *de la queue mesurent environ 23 cm.*

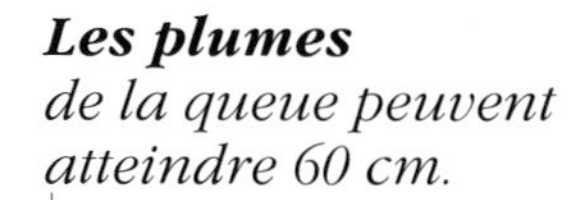

Les plumes *de la queue peuvent atteindre 60 cm.*

Oiseau-lyre (ou porte-lyre) mâle.

L'OISEAU QUI DANSE AVEC SA LYRE

Brun passe-partout : telle est la livrée de l'oiseau-lyre d'Australie. Le mâle, pourtant, s'enorgueillit d'une queue magnifique aux longues plumes, dont deux, au centre, dessinent une lyre. Avant l'accouplement, le mâle danse devant sa compagne, sa queue hissée en ornement.

DÉFILÉ ORANGE VIF

Le coq de roche est un oiseau familier des forêts d'Amérique du Sud. Les mâles aux couleurs éclatantes sont coiffés d'une crête de plumes qui retombent sur leur bec. Ils paradent en groupe pour faire admirer leur plumage aux femelles.

Coq de roche.

C'EST INCROYABLE !

★ **En battant des ailes, certains eurylaimes font un bruit qui s'entend à 60 m. Peut-être est-ce une façon d'interdire leur territoire aux oiseaux intrus.**

Brève azurine.

FOUILLEURS DE FEUILLES

Les brèves sont des oiseaux dodus dotés d'un bec robuste et d'une courte queue. Elles vivent pour la plupart dans les forêts d'Afrique et d'Asie et ne s'éloignent guère du sol où elles cherchent leur ration d'insectes parmi les feuilles.

POUR EN SAVOIR PLUS
LES INSECTES ET LES ARAIGNÉES : les fourmis légionnaires
LA TERRE : les forêts tropicales humides

L'œuf et le poussin

Tous les oiseaux pondent des œufs d'où naîtront les petits. Chez les oiseaux, contrairement aux mammifères, les petits ne se développent pas dans le ventre de leur mère jusqu'à la naissance. Ce surcroît de poids empêcherait celle-ci de voler.

La coquille dure de l'œuf offre sa protection à l'embryon, et le jaune, à l'intérieur, lui offre la nourriture dont il a besoin pour se développer. Quant aux parents, leur rôle est de couver l'œuf, c'est-à-dire de le maintenir au chaud jusqu'à l'éclosion. La plupart des oiseaux couvent leurs œufs en le tenant au chaud sous leur propre corps dans un nid. Quand un poussin est prêt à éclore, il brise lui-même sa coquille. Pour ce faire, la plupart des poussins ont une dent spéciale, appelée dent d'éclosion ou diamant, en saillie sur leur bec.

L'œuf de l'oiseau-mouche Hélène *mesure 6,35 mm et pèse 0,35 g.*

Taille réelle.

L'œuf de l'émeu *mesure 13 cm et pèse 700 g environ.*

Taille réduite de moitié.

Le développement de l'embryon

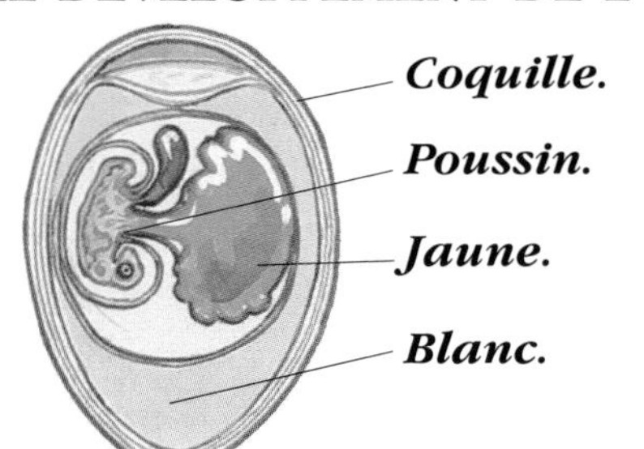

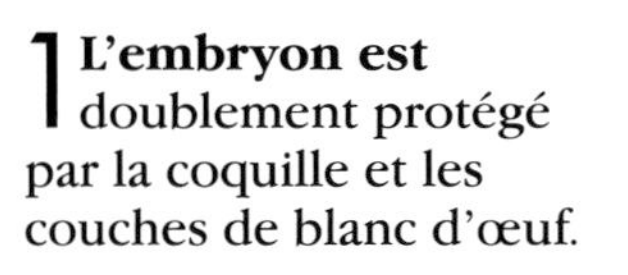

1 L'embryon est doublement protégé par la coquille et les couches de blanc d'œuf.

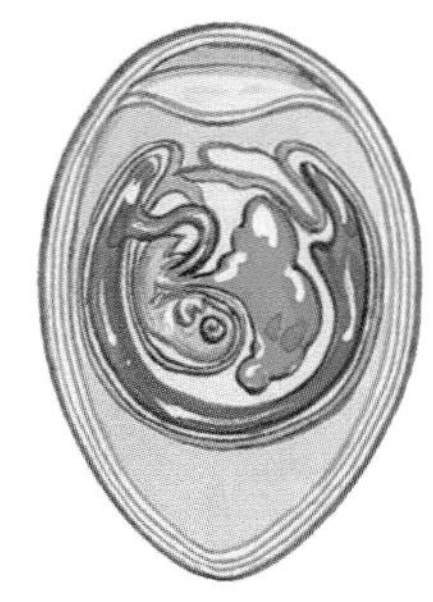

2 L'embryon se nourrit du jaune de l'œuf. La coquille poreuse laisse passer l'air dont il a beso[in].

Le merle apporte un ver à ses petits.
Bouche béante, les oisillons réclament la becquée.

Merle femelle nourrissant sa nichée.

Poussin sans défense

Le bébé merle juste éclos ne peut même pas lever la tête. Les deux parents se relaient pour le nourrir. L'oisillon grandit rapidement et, deux ou trois semaines plus tard, il apprend déjà à voler.

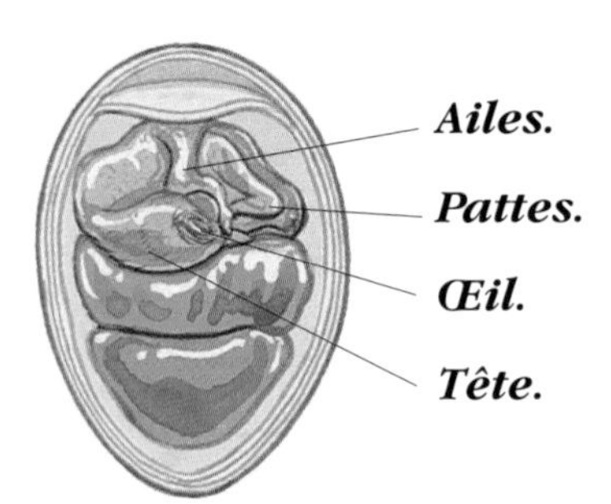

3 Le poussin a déjà une grosse tête et de gros yeux. Ses ailes et ses pattes commencent à se former.

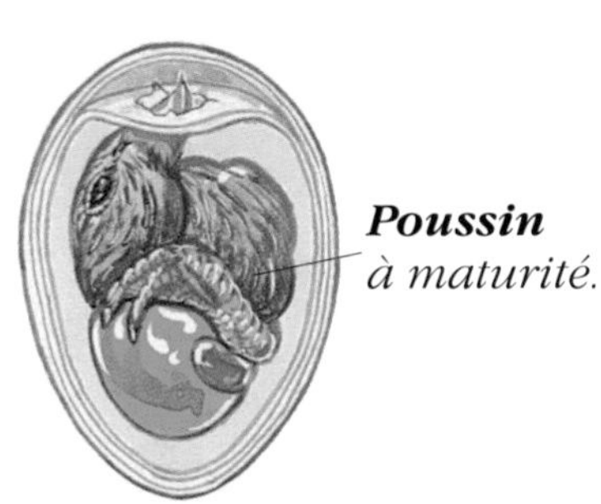

4 Maintenant le poussin est prêt à sortir de sa coquille. Il finira sa croissance hors de l'œuf.

Les bébés cygnes ne sont jamais loin de leur mère.

Comme des grands

Les bébés cygnes nagent et trouvent leur nourriture tout seuls : ils se débrouillent comme des grands. Mais les parents veillent et, si les petits sont fatigués ou effrayés, ils les transportent sur leur dos.

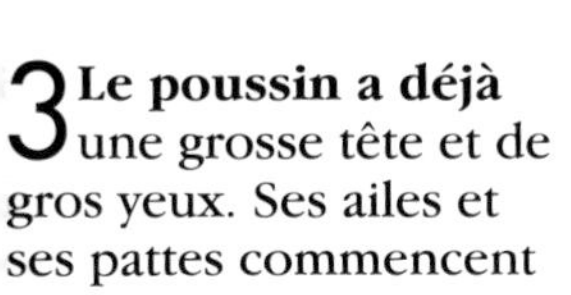

Les parents nourrissent *leurs petits pendant 19 jours au maximum.*

Derrière maman

Certains petits, comme les canetons, vont suivre automatiquement la première chose en mouvement qui se présente à leurs yeux de nouveau-nés. Il s'agit généralement de leur mère : ainsi ils restent dans son sillage et elle veille au danger. Mais si un caneton ouvre les yeux sur une personne, c'est elle qu'il suivra.

L'adulte retourne *les œufs avec son bec pour leur assurer une température égale.*

Chacun son tour

Chez les rousserolles effarvattes, le mâle et la femelle se relaient pour couver leurs œufs. Ils prennent chacun leur tour pendant 11 ou 12 jours jusqu'à l'éclosion.

Rousserolle effarvatte sur ses œufs.

POUR EN SAVOIR PLUS
LE CORPS HUMAIN : la croissance
LES MAMMIFÈRES : les petits

Percheurs et chanteurs

Sur plus de 9 000 espèces d'oiseaux, la moitié environ sont des oiseaux chanteurs – on dit aussi passereaux chanteurs. Dans ce très vaste groupe, les mâles sifflent des séries ordonnées de notes, comme des phrases musicales, pour attirer les femelles ou défendre leur territoire. Les oiseaux chanteurs sont aussi qualifiés d'oiseaux percheurs. Ils ont des pattes à quatre doigts – 3 en avant et un en arrière –, idéales pour se tenir perchés sur une branche, ou même sur un fil téléphonique. Tous ces oiseaux vivent dans les arbres, mais certains se nourrissent au sol (alouettes, pipits) ou en vol (hirondelles).

BRUYANTS BULBULS

Les bulbuls bavards se posent e bandes bruyantes sur les arbres fruitiers des forêts ou des verge qu'ils peuvent ravager. Puis ils vont gratter le sol à la recherch de fourmis et autres insectes. Le mâle et la femelle bulbuls sont semblables.

Bulbuls-Orphée festoyant dans un arbre.

Bec court, *légèrement incurvé.*

Les bébés hirondelles *restent au nid jusqu'à 24 jours, nourris par leurs parents.*

Le mâle et la femelle *hirondelles sont semblables, sauf pour les plumes de la queue, plus longues chez le mâle.*

Hirondelle de cheminée.

NID D'HIRONDELLE

L'hirondelle de cheminée se fait un nid grossier de boue séchée et de végétaux, qu'elle fixe à la paroi d'une caverne ou au mur d'une grange ou d'une maison… spectacle familier dans le monde entier.

TICS DE PIPITS

Les pipits marchent en hochant la tête et en remuant la queue. Le pipit spioncelle fréquente les rivages et se nourrit de vers et d'insectes.

Pipit guettant un insecte.

Alouette des champs.

VOL EN MUSIQUE

De nombreux oiseaux ne chantent que lorsqu'ils sont perchés. L'alouette des champs, elle, vocalise en plein ciel. Elle évolue dans les airs, tournoyant et glissant pendant de longues périodes, sans jamais cesser de chanter.

CHANTEUR-IMITATEUR

Le moqueur a son propre chant, qu'il siffle nuit et jour, mais il est aussi célèbre pour ses talents d'imitateur : il peut reproduire les chants d'autres oiseaux, le bruit des voitures, le hurlement des sirènes et même les aboiements de chien.

Moqueur.

C'EST INCROYABLE !

★ Les jeunes hirondelles engloutissent 400 repas par jour. Les parents ont fort à faire pour les alimenter constamment en insectes.

POUR EN SAVOIR PLUS
LA DANSE, LE THÉÂTRE ET LA MUSIQUE : les chanteurs
LES INSECTES ET LES ARAIGNÉES : les vers

Oiseaux chanteurs insectivores

De nombreux oiseaux chanteurs, tels les gobe-mouches, excellent à chasser les insectes. La plupart ont des becs spécialisés, larges ou munis de vibrisses, et légèrement crochus, pour happer les insectes au vol. Parmi ces oiseaux chanteurs insectivores, la grive et la fauvette, par exemple, sont réputées pour la beauté de leur chant, tandis que les timalies se contentent de piailler bruyamment entre elles – on les appelle d'ailleurs « grives bruyantes ».

Vacances dans le Sud

Le gobe-mouches nain passe le printemps et l'été dans les forêts e les sous-bois d'Europe orientale et d'Asie centrale où il pond et élève ses petits. Puis il s'envole vers le su et les régions chaudes où il séjourr le reste de l'année.

Mâle adulte.

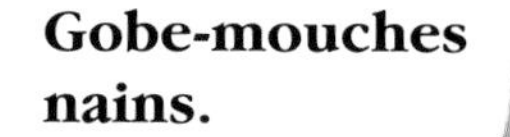

Gobe-mouches nains.

Fauvette-roitelet auprès de son nid.

Caché dans les arbres

La fauvette-roitelet à poitrine blanche niche et se nourrit au sol. Son nid, tissé de végétaux et de toiles d'araignées, avec une ouverture en haut, est caché dans les hautes herbes.

C'est incroyable !

★ **La locustelle tachetée a un chant très aigu avec une émission de 1 400 trilles à la minute.**

★ **La rousserolle verderolle est capable d'imiter le chant d'au moins 70 espèces d'oiseaux.**

Timalie aux yeux d'or.

DES NIDS PROPRETS

Les timalies aux yeux d'or chassent en couple ou en petits groupes dans le vacarme incessant de leurs bavardages. Le nid de ces oiseaux est fait de brins d'herbe et de lambeaux d'écorce très proprement entrelacés, et recouvert de toiles d'araignées.

Grive sifflante.

SIGNAL D'ALARME

La grive sifflante d'Asie alterne de longs cris d'alarme avec un chant plus mélodieux. Elle vit dans les zones de forêts montagneuses, souvent près d'un ruisseau.

POUR EN SAVOIR PLUS
LES INSECTES ET LES ARAIGNÉES : les toiles d'araignées
LES MAMMIFÈRES : les insectivores

Oiseaux chanteurs arboricoles

De nombreux oiseaux chanteurs vivent et se nourrissent dans les arbres. Ils sautillent de branche en branche ou volettent d'arbre en arbre et attrapent insectes et fruits de la pointe du bec. Leurs pattes et griffes vigoureuses leur permettent de se tenir perchés aux branches ou de s'accrocher aux troncs d'arbres. Le souimanga au plumage vivement coloré est insectivore, mais se délecte aussi du nectar des fleurs, grâce à son long bec incurvé.

HYPERACTIF

Le dicée à dos rouge, qui mesure 9 cm, est un petit oiseau bruyant très actif. Il volette de fleur en fleur, aspirant du nectar ici, saisissant là un insecte ou encore une baie, dans un ballet sans fin.

Dicée à dos rouge.

Oiseau à lunettes du Japon.

DU NECTAR À LA PAILLE

L'oiseau à lunettes du Japon se sert de son bec pour déloger les insectes de l'écorce et cueillir les araignées sur les feuilles. Il aspire aussi le nectar des fleurs avec sa langue couverte de poils comme un pinceau. Les oiseaux à lunettes se déplacent en petites troupes, lançant de temps à autre quelques notes perlées pour garder le contact.

Les caciques nichent, perchent et se nourrissent en groupe.

UN SAC PENDU AUX BRANCHE[S]

Les caciques d'Amérique du Su[d] nichent en groupe dans les arbres. Chaque couple fabrique un incroyable nid en forme de sac tissé de fibres végétales suspendu à une branche. La vie en groupe permet de mieux protéger les œufs et les poussin[s] des prédateurs voraces.

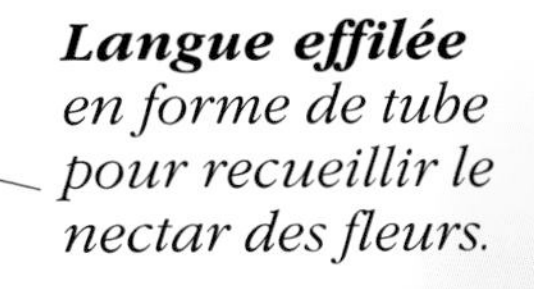

Langue effilée *en forme de tube pour recueillir le nectar des fleurs.*

Souimanga queue-de-feu mâle.

Pattes robustes *pour s'accrocher aux branches.*

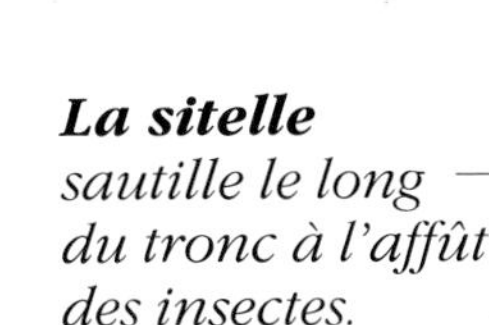

La sitelle *sautille le long du tronc à l'affût des insectes.*

Sitelle.

LE SOUIMANGA QUEUE-DE-FEU

Chez le souimanga queue-de-feu, seul le mâle est orné de plumes rouges, jaunes et bleues. La femelle, plus petite, a une robe gris-brun. Les souimangas se perchent près d'une fleur pour aspirer son nectar.

DES CROCHETS ET DES CRAMPONS

Sitelles et grimpereaux ont des pattes robustes et des griffes acérées pour s'accrocher à l'écorce des arbres pendant qu'ils se nourrissent. Ils insèrent leur bec pointu dans les fissures des troncs, détachent l'écorce et récoltent les insectes.

C'EST INCROYABLE !

★ **La petite mésange bleue ne mesure que 11 cm, mais elle pond 15 œufs à la fois : record parmi les oiseaux qui nourrissent leurs petits.**

Mésange bleue et sa nombreuse nichée.

Le grimpereau *des murailles capture ses proies sur des parois rocheuses abruptes.*

Grimpereau des murailles.

POUR EN SAVOIR PLUS

LE CORPS HUMAIN : la langue
LA VIE VÉGÉTALE : les fleurs

Oiseaux chanteurs granivores

Les graines de toutes sortes sont l'aliment de base de nombreux oiseaux chanteurs. Le bec puissant en forme de cône des fringilles et des bruants, par exemple, est un excellent outil pour casser et décortiquer les graines. La forme du bec est adaptée au type de graines dont se nourrissent ces oiseaux. Ceux qui mangent de très grosses graines ont un bec très semblable à celui d'un perroquet. Les oiseaux granivores chassent aussi des insectes pour eux-mêmes ou pour nourrir leurs petits.

OUVRE-POMMES DE PIN

Le bec-croisé des sapins est une petite fringille au bec bizarre : les mandibules supérieure et inférieure se croisent à leur extrémité. Avec ce bec il peut fendre les pommes de pin et en extraire les graines.

Le bec-croisé des sapins *mâle est rouge ; la femelle, gris verdâtre.*

Diamant mandarin.

Rayures *sur la gorge et marques sur la face.*

TROUPEAUX ZÉBRÉS

Les diamants mandarins à la robe zébrée, communs en Australie, se déplacent en troupes d'une centaine d'individus. Ils restent souvent groupés pour nicher, chaque couple dans son nid d'herbes et de brindilles en forme de dôme.

Tangara.

C'EST INCROYABLE !

★ Le bruant des neiges niche dans l'Arctique, plus au nord que tout autre oiseau. Il creuse un terrier dans la neige pour se protéger du froid polaire.

TANGARA DES ARBRES

Le tangara est un oiseau arboricole, c'est-à-dire qu'il vit dans les arbres ; frugivore et granivore, c'est-à-dire qu'il se nourrit de fruits et de graines ; et insectivore : il saute sur tous les insectes qui passent.

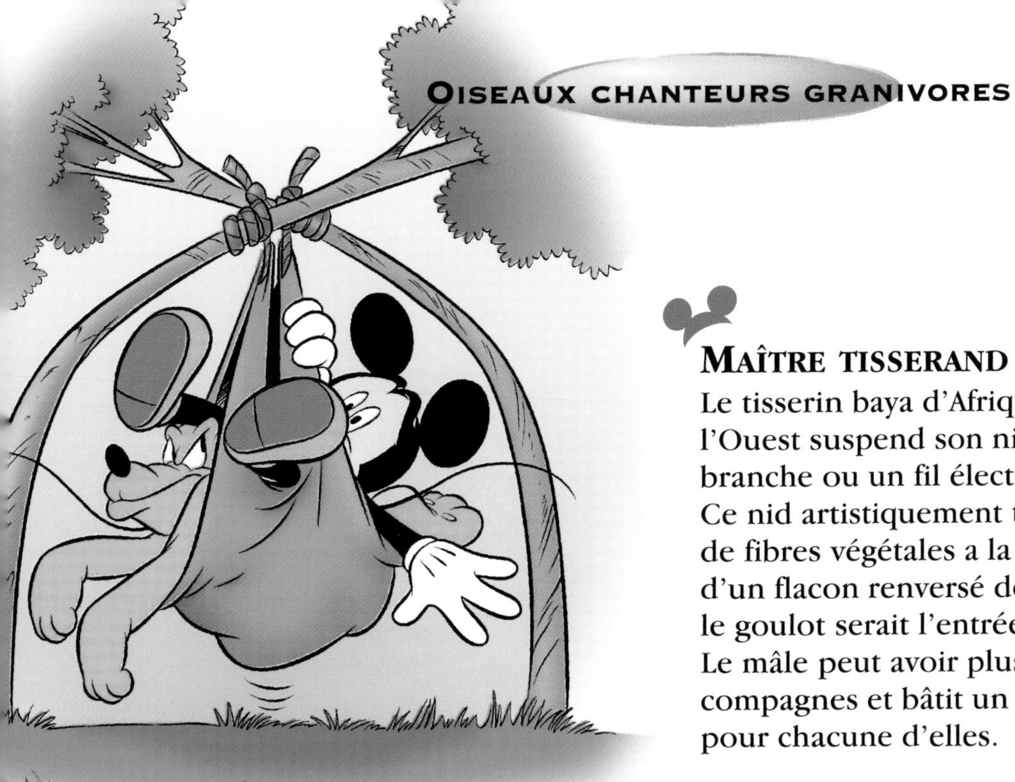

MAÎTRE TISSERAND

Le tisserin baya d'Afrique de l'Ouest suspend son nid à une branche ou un fil électrique. Ce nid artistiquement tissé de fibres végétales a la forme d'un flacon renversé dont le goulot serait l'entrée. Le mâle peut avoir plusieurs compagnes et bâtit un nid pour chacune d'elles.

Tisserin baya mâle sur son nid.

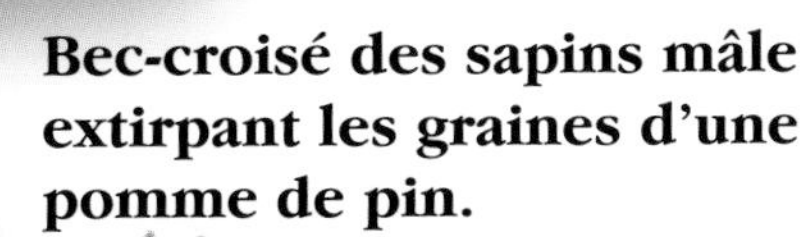

Bec-croisé des sapins mâle extirpant les graines d'une pomme de pin.

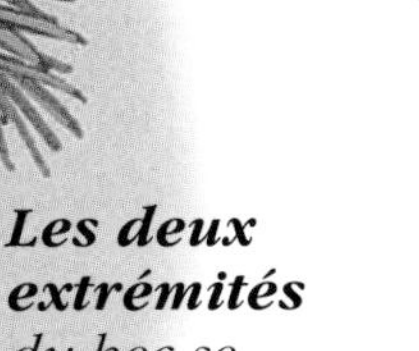

Les deux extrémités *du bec se croisent.*

Le bec maintient *ouvertes les écailles tandis que la langue en extrait les graines.*

Bruant à calotte blanche.

NOURRITURES TERRESTRES

Bruant des roseaux, des neiges, à calotte, bruant zizi, bruant fou... De cette nombreuse famille, la vedette est l'ortolan, dont la chair délicate est synonyme pour les hommes de mets goûteux et raffiné. Insectivores et granivores, les bruants se nourrissent à terre et nichent au sol ou près du sol.

Bruant des roseaux.

POUR EN SAVOIR PLUS
L'ATLAS DU MONDE : les régions polaires
LA VIE VÉGÉTALE : les pommes de pin

Les oiseaux du voyage

Deux fois par an, des nuées d'oiseaux entreprennent de fabuleux voyages appelés migrations. La plupart des oiseaux migrateurs passent le printemps et l'été au nord et s'envolent vers le sud à l'automne pour échapper aux rigueurs de l'hiver. Ils regagnent le nord à la belle saison et bénéficient ainsi toute l'année de soleil et d'une nourriture abondante.

Routes de migration des balbuzards pêcheurs.

HALTE-POISSONS

Le balbuzard pêcheur est un grand rapace qui accomplit une migration de 10 000 km. Ce voilier endurant se nourrit principalement de poisson, c'est pourquoi il voyage d'une étendue d'eau à l'autre, s'arrêtant pour se nourrir en chemin.

Les oiseaux migrateurs, pour accomplir ces longues traversées, ont différents systèmes d'orientation. Ils semblent avoir une sorte de connaissance innée de leur destination puisque les jeunes sont capables de migrer sans l'aide des adultes. Les scientifiques pensent qu'ils s'orientent aussi par rapport au Soleil, aux étoiles et à certains repères familiers. La plupart font plusieurs haltes en route afin de se nourrir et de se reposer.

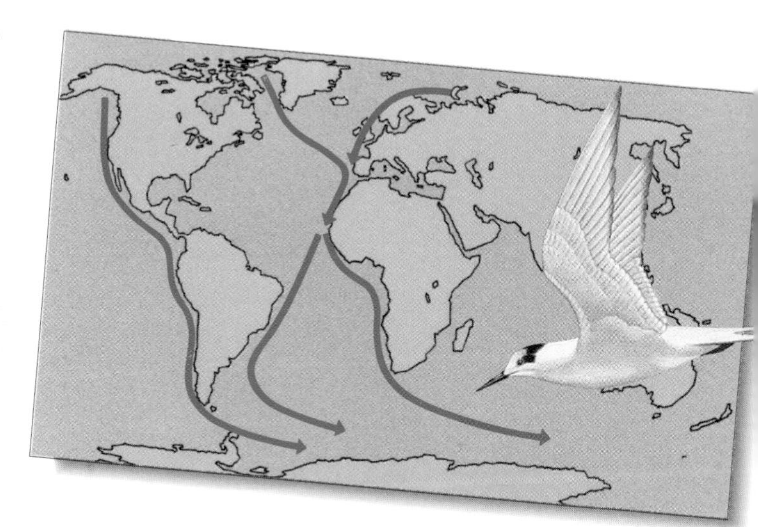

La sterne arctique vole d'une région polaire à l'autre.

Les hommes ont recours à des cartes détaillées pour trouver leur chemin.

D'UN BOUT À L'AUTRE DE LA TERRE

La sterne arctique effectue la migration la plus longue de tous les oiseaux. Elle franchit 20 000 km de l'Arctique, son lieu de ponte, à l'Antarctique, où elle reste le temps de l'été austral.

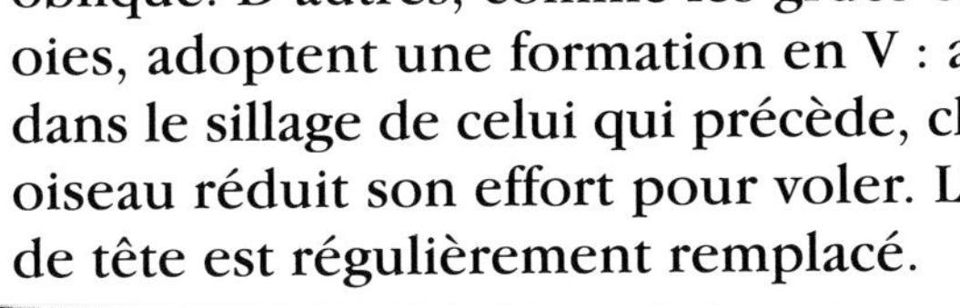

VOL EN FORMATION

Beaucoup d'oiseaux migrateurs volent en groupe. Certains forment une ligne oblique. D'autres, comme les grues ou les oies, adoptent une formation en V : aspiré dans le sillage de celui qui précède, chaque oiseau réduit son effort pour voler. L'oiseau de tête est régulièrement remplacé.

Le vol en V des oies.

Le pluvier doré d'Amérique effectue un voyage de 13 000 km sans escale.

VOYAGE SANS ESCALE

Les pluviers dorés nichent à l'extrême nord de l'Amérique du Nord, en Sibérie et au nord de l'Asie durant les mois d'été. Quand vient l'hiver, ils migrent au sud. Le pluvier doré d'Amérique vole du nord au sud du continent américain sans s'arrêter.

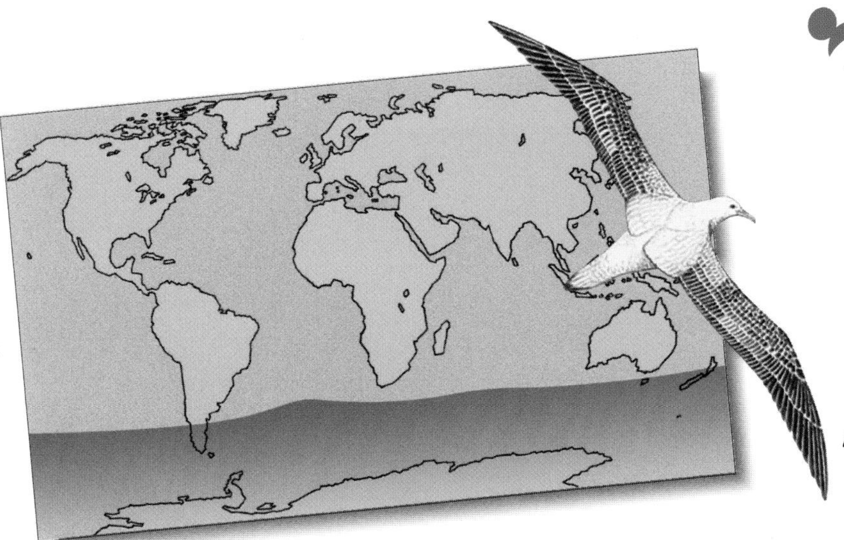

L'albatros hurleur ne circule que dans les régions situées le plus au sud.

TOUTE UNE VIE D'ERRANCE

L'albatros hurleur ne migre pas du nord au sud : il accomplit un voyage perpétuel autour des régions les plus au sud du globe. Il ne se pose sur des îlots que le temps de s'apparier et de pondre.

POUR EN SAVOIR PLUS
L'ATLAS DU MONDE : les régions polaires
LA TERRE : les saisons

Les grands oiseaux chanteurs

Les oiseaux chanteurs sont généralement de petite taille, mais il y a des exceptions : les corneilles et les corbeaux, par exemple, qui peuvent dépasser 60 cm. Redoutables chasseurs, les corbeaux sont réputés pour être les plus intelligents des oiseaux. Le mâle et la femelle sont semblables alors que, chez les paradisiers, la différence est spectaculaire entre la femelle, terne, et le mâle, paré de plumes magnifiques.

L'INVITATION AU BERCEAU

Pour sa parade nuptiale, l'oiseau jardinier satin mâle construit une voûte de brindilles. Cette structure appelée berceau ou tonnelle est peinte avec un mélange de baies écrasées et de salive et décorée d'éléments à dominante bleue, assortis à son plumage : fleurs, baies... capsules de bouteille.

Drongo à raquettes.

DRÔLES DE PLUMES

Le drongo à raquettes a une crête sur la tête et des plumes caudales longues de 35 cm. C'est un oiseau tapageur qui chasse les insectes à l'affût et n'hésite pas à s'attaquer aux rapaces qui s'approchent de son nid.

Bouts des plumes *de la queue en forme de raquette.*

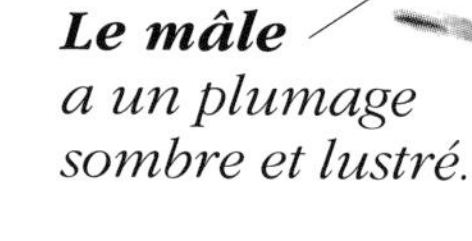

Le mâle *a un plumage sombre et lustré.*

Oiseaux jardiniers satins.

C'EST INCROYABLE !

★ Les corbeaux vrais ou grands corbeaux savent compter ! C'est ce que pensent les chercheurs après avoir mené des expériences où certains de ces oiseaux ont compté jusqu'à 5 ou 6.

PIE VOLEUSE

La pie, parente de la corneille, mange tout ce qui lui tombe sous le bec. Elle vole les œufs et les petits d'autres oiseaux dans leur nid, mais se repaît aussi de rats, de mulots et autres animaux nuisibles.

Pie.

LA TÊTE À L'ENVERS

Pour faire admirer ses plumes à la femelle, le paradisier bleu se suspend à une branche la tête en bas et agite les longs serpentins de sa queue flamboyante.

Paradisier bleu mâle.

Loriot mâle donnant un ver à son petit.

OISEAU D'OR

Le nom du loriot vient du latin et signifie « couleur d'or ». Le loriot d'Europe siffle joyeusement comme s'il était fier de sa livrée jaune. La femelle édifie le nid à la fourche d'une branche. Le mâle participe à l'élevage des petits.

La tonnelle *ou berceau a une largeur d'environ 10 cm.*

Le mâle construit *cette structure pour parader.*

La femelle, *de son côté, construit un nid pour déposer ses œufs.*

POUR EN SAVOIR PLUS
LE CORPS HUMAIN : la voix
LES MAMMIFÈRES : les rats

Oiseaux en péril

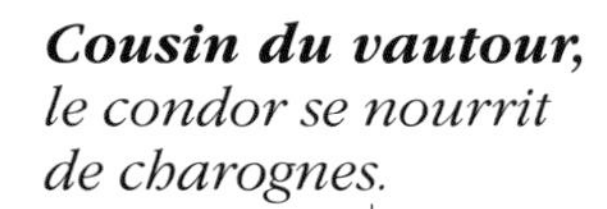

Cousin du vautour, *le condor se nourrit de charognes.*

Partout dans le monde, les oiseaux sont menacés. Plus de 1 000 espèces sur les 9 000 recensées sont désormais si rares qu'elles pourraient s'éteindre, c'est-à-dire disparaître. Les activités humaines mettent les oiseaux en danger à une échelle jusque-là inconnue. La pollution des lacs et des rivières, la destruction des forêts réduisent sans cesse leur habitat. Non contents de les chasser, les hommes capturent les oiseaux pour les mettre en cage. Mais des actions sont possibles pour sauver les oiseaux, telles que créer des réserves naturelles où ils seront protégés.

Le condor pond *un œuf tous les deux ans seulement, c'est pourquoi le processus de repeuplement est long.*

POPULATION EN DIMINUTION

La population des condors de Californie était tombée à 9 individus. Mais on a réussi à en élever en captivité : 121 condors en 1997, dont certains ont été relâchés avec succès dans leur milieu naturel.

Nettoyage d'un oiseau « mazouté ».

MARÉES NOIRES

Les « marées noires » provoquées par les pétroliers géants peuvent détruire la faune et la flore marines. Un oiseau « mazouté » ne peut plus voler. S'il parvient à nettoyer ses plumes, le mazout qu'il avale l'empoisonne.

Grue blanche de Sibérie.

SAUVER LES GRUES BLANCHES

Pour sauver la grue blanche d Sibérie, on a imaginé de confi à des grues d'espèces différen des œufs pondus par des grues blanches en captivité. Avec un peu de chance, les parents adoptifs couveront les œufs et élèveront les petits, ce qui permettrait d'accroître le nom des grues blanches en liberté.

C'EST INCROYABLE !

★ **Plus que tout autre groupe d'oiseaux, les perroquets sont menacés d'extinction. Quelque 90 espèces sur 350 pourraient bientôt disparaître.**

★ **Un chat sur une île minuscule au large de la Nouvelle-Zélande a éliminé à lui seul une espèce de roitelet. En 6 mois, il a dévoré tous les individus de cette espèce.**

UN HABITAT SANS CESSE RÉDUIT

Des pans entiers de forêt tropicale, habitat de l'aigle des Philippines, ont été abattus. Cet aigle mangeur de singes est désormais l'un des oiseaux les plus rares du monde. Un rapace de cette taille a besoin d'une vaste aire de chasse pour survivre.

Aigle des Philippines.

UN OISEAU RARE

L'ara indigo, vendu comme oiseau de compagnie, a été capturé en si grand nombre qu'en 1978 il n'en restait plus que 60 dans le monde. Cet oiseau a aussi souffert de la destruction des forêts, son habitat, pour faire place aux cultures.

Ara indigo.

Le condor *a une envergure de 2,70 m.*

Condor de Californie.

Il faut bien étudier les oiseaux pour bien les protéger.

POUR EN SAVOIR PLUS
LES DINOSAURES : l'extinction
LES MAMMIFÈRES : la protection

Glossaire des mots-clés

Arboricole : qui vit dans les arbres.

Blanc d'œuf : substance claire qui entoure la partie jaune de l'œuf et protège l'embryon.

Captivité : situation d'un animal en cage, comme au zoo, ou en semi-liberté, comme dans les réserves.

Casque : protubérance osseuse ou cornée sur la tête ou le bec d'un oiseau.

Caudal, caudale : de la queue. Les plumes caudales interviennent dans les manœuvres en vol.

Charognard : oiseau, comme le vautour, qui se nourrit de charognes et d'ordures.

Charogne : cadavre d'un animal tué ou mort de mort naturelle.

Colonie : groupe important d'oiseaux de même espèce vivant et nichant au même endroit. Nombre d'oiseaux marins, comme les fous et les manchots, vivent en colonies.

Courant : flux d'air ou d'eau se déplaçant dans une direction donnée.

Couver : maintenir les œufs au chaud jusqu'à leur éclosion. En règle générale, les oiseaux s'installent sur leurs œufs et leur transmettent la chaleur de leur corps.

Dent d'éclosion ou diamant : pointe sur le bec du poussin qui lui permet de briser sa coquille au moment d'éclore et qu'il perdra au bout de quelques jours.

Éclore : sortir de l'œuf.

Embryon : organisme en voie de développement.

Espèce : ensemble d'individus (animaux ou végétaux) semblables pouvant se reproduire entre eux.

Extinction : processus qui conduit à la disparition de tous les individus d'une espèce ou d'une famille.

Forêt tropicale humide (forêt pluvieuse) : forêt dense des régions tropicales avec d'importantes chutes de pluie toute l'année.

Imperméable : qui ne se laisse pas traverser par l'eau. Les plumes huileuses des oiseaux sont généralement imperméables.

Jaune d'œuf : substance jaune de l'œuf dont se nourrit l'embryon.

Kératine : matière dont sont faits les plumes, les griffes, les becs et les cornes.

Larve : chez l'insecte, stade intermédiaire entre l'œuf et l'adulte.

Mammifère : animal dont les petits naissent complètement développés.

Migration : long voyage, le plus souvent saisonnier, accompli par certains oiseaux vers les lieux où ils se nourrissent et se reproduisent.

Nectar : liquide sucré produit par de nombreuses plantes ; on appelle nectarivores les oiseaux et les insectes qui s'en nourrissent.

Nid : abri où un oiseau pond ses œufs et élève ses petits.

Parade nuptiale : suite de mouvements effectuée pour attirer l'attention d'un partenaire. Ce sont généralement les mâles qui paradent pour attirer les femelles.

Perchoir : endroit où un oiseau se repose ou dort. On dit d'un oiseau au repos qu'il perche.

Plumules : petites plumes soyeuses qui forment le duvet et tiennent chaud à l'oiseau.

Pollution : gaz, poussière, fumées et autres rejets ou déchets des activités humaines qui salissent et dégradent l'environnement.

Proie : animal qui est chassé et mangé par d'autres animaux.

Régions polaires : zones situées autour du pôle Nord et du pôle Sud.

Rémiges : plumes des ailes, légères et résistantes. Rémiges primaires (les plus grandes) et secondaires forment la surface portante de l'aile et permettent à l'oiseau de repousser l'air en se déplaçant vers le haut et l'avant.

Réserve naturelle : territoire délimité et surveillé pour la sauvegarde des animaux et des plantes.

Résistance de l'air : force exercée par l'air contre le déplacement d'un oiseau, par exemple.

Savane : zone de hautes herbes, arbres et arbustes, caractéristique des régions tropicales.

Se reproduire (reproduction) : donner naissance à des petits.

Territoire : aire où un animal vit et chasse.

Toundra : vaste plaine sans relief et sans arbres de l'Arctique et des montagnes arides.

Tropical : caractérise les régions situées de part et d'autre de l'équateur où règne un climat chaud toute l'année.

Vol sur place, ou stationnaire : type de vol qui permet à l'oiseau de stationner en l'air pendant qu'il guette une proie ou se nourrit.

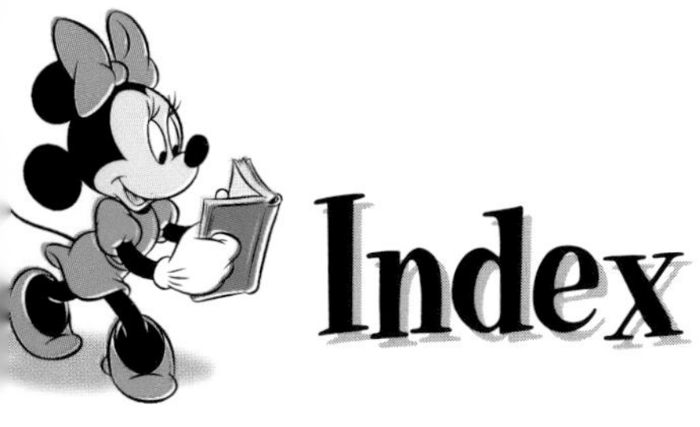

Index

Remerciements

AUTEUR
Jinny Johnson

TRADUCTION FRANÇAISE
Sylvie Barjansky

CONSULTANT POUR LES OISEAUX
Naturaliste et écrivain, le Dr Malcolm Ogilvie est un expert reconnu de la vie sauvage. Ancien chercheur attaché au Wildfowl and Wetlands Trust du Gloucestershire (Angleterre), où il a mené des études sur les populations de gibier d'eau, l'avifaune et les rapaces, il est actuellement membre du comité de rédaction de la revue *British Birds,* membre du conseil régional du Scottish National Heritage et secrétaire de la commission Espèces menacées - Individus reproducteurs. Il a écrit de nombreux livres et articles savants sur l'observation des oiseaux.

CONSEILLERS ÉDUCATIFS
Lois Eskin, BSc, conseillère en édition, spécialisée dans l'organisation, la recherche et la programmation d'ouvrages éducatifs.
Kurt W. Fischer, PhD, professeur à la Harvard Graduate School of Education.

CONSEILLERS INTERNATIONAUX
Pamela Katherina Decho, BA (Hns), conseillère éditoriale pour l'Amérique latine.
Zahara Wan, conseiller éditorial pour l'Asie du Sud-Est.
Mighua Zhao, PhD, MSc, MA, BA, conseiller éditorial pour la Chine et l'Asie de l'Est.

ILLUSTRATEURS
Chris Christoforou, John Francis, Nick Hall, Tim Hayward, Terence Lambert, Colin Newman, Richard Orr, Mike Woods.
Mise en couleur Disney : Neil Rigby.
Encrage Disney : Massimiliano Calò.

DIRECTION ARTISTIQUE DISNEY POUR CET OUVRAGE
Fabrizio Petrossi, Claudio Sciarronne
Remerciements particuliers à Michael Horowitz et Carson Van Osten

PHOTOGRAPHIES D'AGENCES
41 Ian Beames et 44 Graeme Chapman sont de Ardea ; 14 David Kjaer et 29t Bernard Castelein sont de BBC Natural History Unit ; 12 Eric & David Hosking, 20 Michael Busselle, 23 Tom Bean, 24 Stan Craig/Papilio, 29b & 33b Roger Tidman, 39 Kevin Schafer, 43 Tim Zurowski, 46l George Lepp et 54 Chinch Gryniewicz/Ecoscene sont de Corbis ; 11 Tom & Pam Gardner, 27 Ron Austing, 33t David Hosking, 37b L. Robinson, 49 E. & D. Hosking et 53 Weiss/Sunset sont de Frank Lane Picture Agency ; 19 Rick Price, 37t Dr F. Koster/Survival Anglia et 46r Nick Gordon sont d Oxford Scientific Films ; 31 & 35 sontde ZEFA.

PHOTOGRAPHIES D'ENFANTS
Ray Moller

DIRECTEUR DE PROJET - DISNEY
Remerciements particuliers à Cally Chambers

天下太